Calaveras Cantaditas

Calaveras cantaditas

Artes de México, 2012
Primera edición

Edición: Margarita de Orellana
Coordinación editorial: Gabriela Olmos
Asistente de redacción: Verónica Gómez Martínez
Diseño: Karen Rosales Hernández
Diseño y fotografía de portada: Alejandra Guerrero Esperón

Fotografía
Pablo Aguinaco: pp. 5-6, 10-11, 15 (arriba), 18, 20-21, 26, 28, 38.
Jorge Álvarez: pp. 8-9, 13, 25.
Alejandra Guerrero: pp. 14-15 (abajo), 24.
Karen Rosales: p. 16.
Humberto Spíndola: p. 30.
Jorge Vértiz: pp. 4, 19, 22, 27, 32-34, 36, 39.

Córdoba 69,
Col. Roma, 06700, México, D.F.
Teléfonos 5525 5905, 5525 4036

ISBN: 978-607-461-114-4
Impreso en México, en los talleres de World Printing Network, en
noviembre de 2012.

Calaveras Cantaditas

Eduardo Bustos

La parca

Con gran tibieza, *la parca*
decidió un buen día ausentarse,
así resolvió marcharse
a la fúnebre comarca.
Y por tal, construyó un arca
con diseño funeral.
Polarizado vitral
decoraba su interior,
mostrando oscuro color
de intensidad poco usual.

La chifosca

Su epitafio diseñaba
con gótica letra un día.
Moribunda se sentía,
sin parar se preocupaba:
la chifosca no encontraba
un cajón a su medida,
como su eterna guarida,
antes de ser alimento
de los gusanos hambrientos
que le darían bienvenida.

La tolinga

Allá en mero Veracruz,
en los llanos y la costa
de nuestra geografía angosta,
contenta tomaba sus
toros, nanche y alipús.

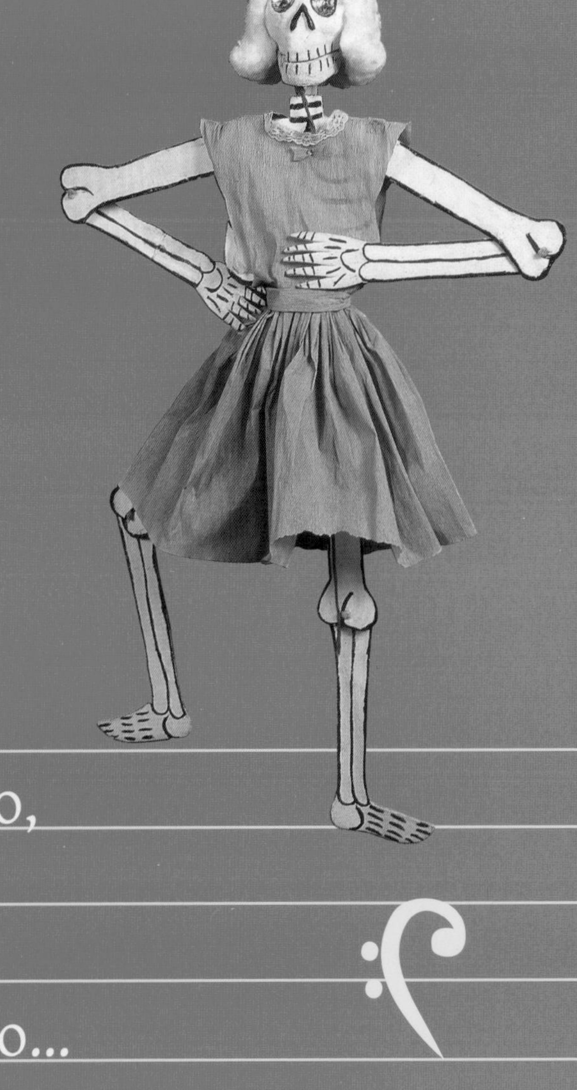

Bailando el tilingo lingo,
tan inquieta como un pingo,
la *tolinga* destrampada
quedó tan y tan cansada,
que la entierran el domingo...

La desdentada

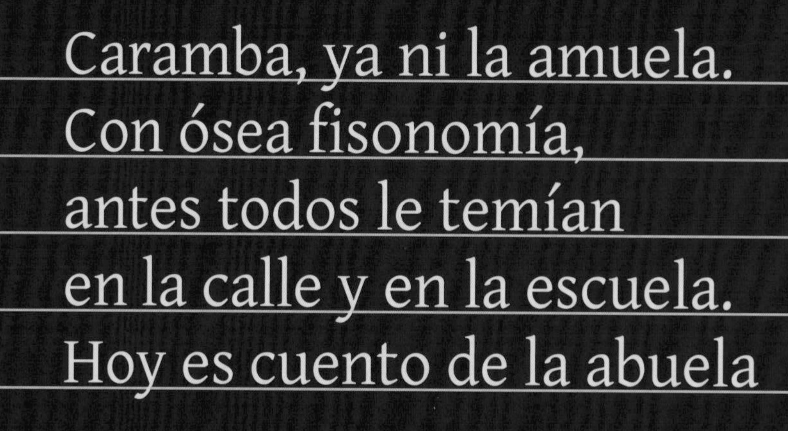

Caramba, ya ni la amuela.
Con ósea fisonomía,
antes todos le temían
en la calle y en la escuela.
Hoy es cuento de la abuela

eso de la *desdentada*,
que anda muy decepcionada
por no ser lo que antes era.
Hoy se burlan dondequiera
de su figura delgada.

La patas de hilacha

Al tianguis de medianoche
se acercó esbelta muchacha.
Era la *patas de hilacha*,
que buscaba huitlacoche
para darle buen sancoche.

En la cena de difuntos
la amenizará un conjunto,
que llegándose el momento
con hueso como instrumento
harán de baile el asunto.

La tembeleque

Llegada de pesadilla,
moradora de los miedos,
siempre con aliento acedo
y fisonomía sencilla,
le canta a las manecillas

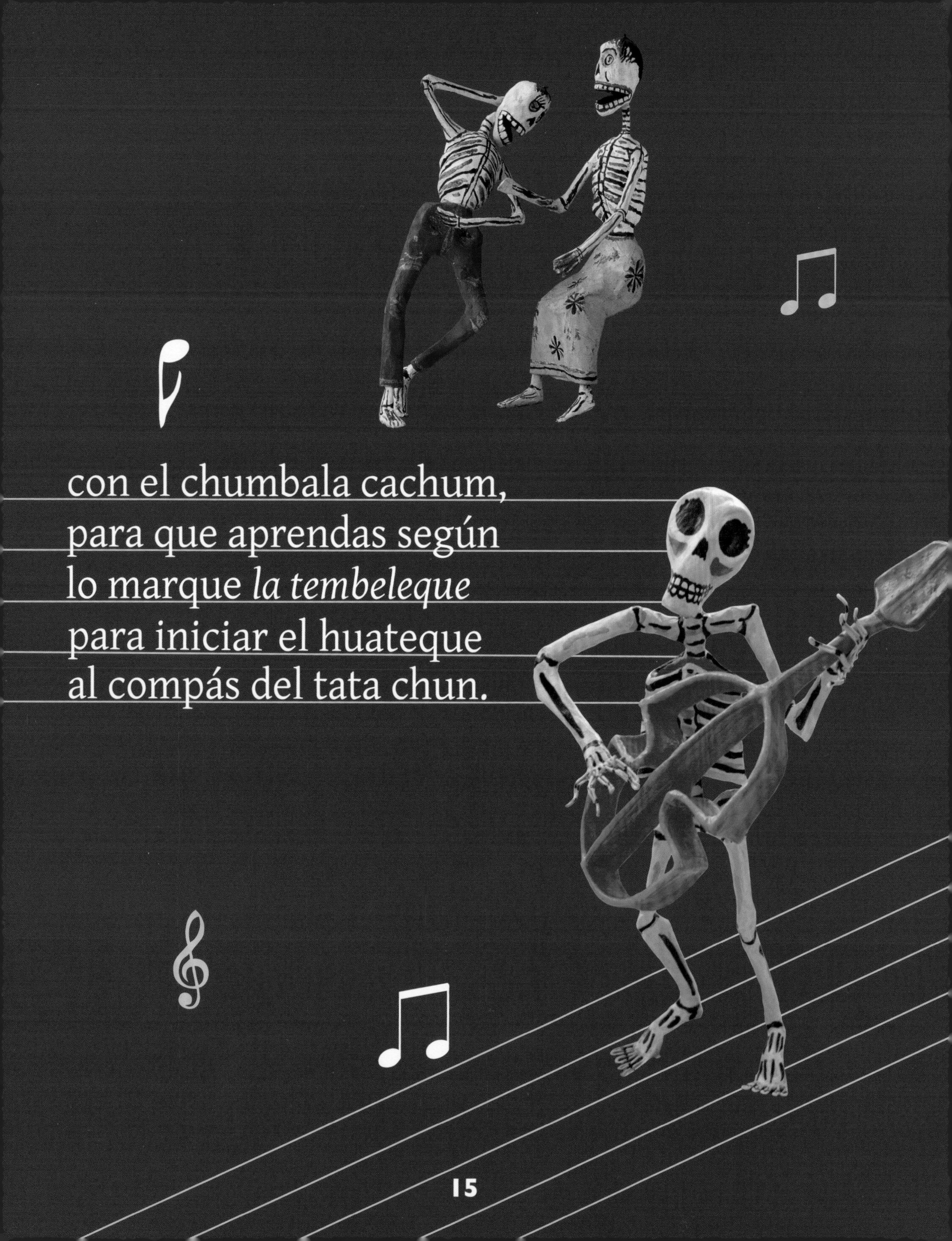

con el chumbala cachum,
para que aprendas según
lo marque *la tembeleque*
para iniciar el huateque
al compás del tata chun.

La cuatacha

Queriendo buscar transporte
que la llevara muy lejos:
más allá de Rancho Viejo,
sin que la distancia acorte,
asustar fue su deporte.

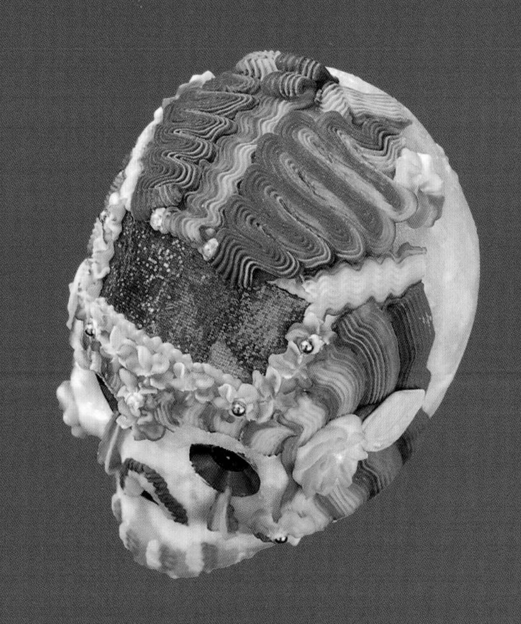

el día de su graduación.
Cena-baile en el panteón,
todo lo incluye el paquete,
certificado y birrete
de horrorífica mención...

La copetona

Sin cabello, siempre lacia,
de fino toque espectral
de cráneo a fosa nasal,
en el rostro sin falacia.
Su curiosidad no sacia
y sus dudas bien gestiona,
aun rapada se emociona,
pues con frente de rodilla,
no se siente ni se humilla
si le dicen *copetona*.

La jijurria

Ya se fue hasta el otro lado
sin despedirse siquiera,
mas no se fue de bracera,
menos se cruzó el Río Bravo.
Sabrán pues sin menoscabo
de la *jijurria* el motivo,
pues al subirse a un tiovivo,
de tanta vuelta que dio,
del mareo se nos murió,
tal como se los describo.

Doña Quiqueria

Siempre más que reposada,
tal como nuestro tequila,
en la fosa que se alquila
de aspecto deshabitada,
doña Quiquería tomaba

cursos para ser modelo,
tal vez para su consuelo
y quitarle la desidia,
de buscar morir de envidia,
de vanidad o hasta celos.

La liberadora

¡Pero qué grande señora!
que luce su largo talle,
con toda pompa y detalle,
desde penumbrosas horas.
Por aquí *liberadora*,
van pidiéndole un boleto
para eterno estate quieto,
que quite del sufrimiento,
a aquellos que de momento,
no quieren enfrentar reto.

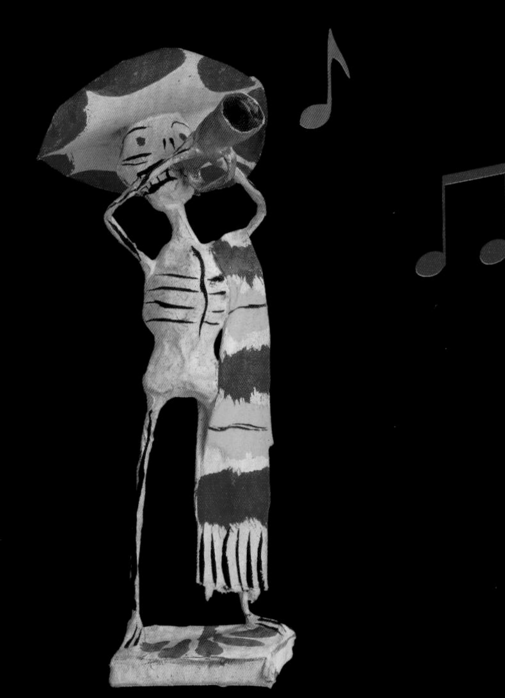

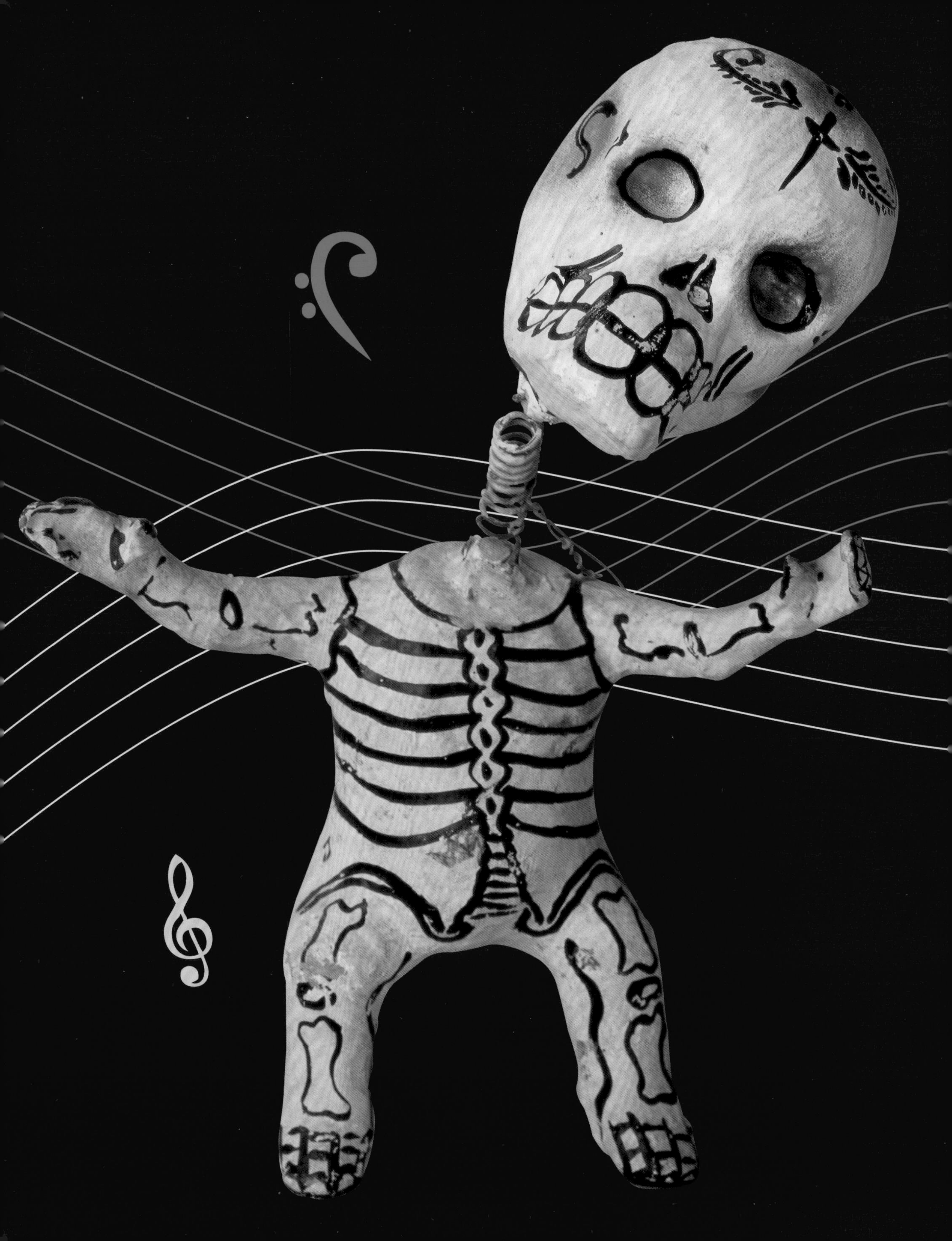

La chirifusca

Aunque se oiga en forma chusca,
por un patético umbral
su silueta esqueletal
a muchos chicos asusta.
No es más que la *chirifusca*,
que cual varas de sombrilla
se le asoman las costillas
como ranuras de güiro,
tanto que cuando la miro
quiero hacerle hasta cosquillas.

La patas de catre

¡Cómo estrenar traje sastre
con un talle de alfeñique !
El modisto se va a pique
aunque el oficio idolatre,
porque *la patas de catre*
no puede aumentar de peso.
Y a decir será por eso
que no se ponga calzones,
aunque en ciertas ocasiones
traiga estola en el pescuezo.

La polveada

De noche iba marchanteando,
muy ruidosa al caminar.
Sus huesos se oían tronar
conforme ya iba avanzando.
Iba a todos reiterando
que en polvo se volvería,
por lo que a todos pedía,
que aun sin andar maquillada,
le llamaran *la polveada*
cuando se llegara el día.

La enlutada

Atizándole al incienso,
prende que prende las ceras
pasaba noches enteras
dando al ornato comienzo.
Tanto trajín tan intenso
padecía nuestra *enlutada*,
siempre puesta y aferrada,
aguardando sólo el hecho
de llevarse a alguien derecho
a ese altar que preparaba.

con amor para ti

La tiesa

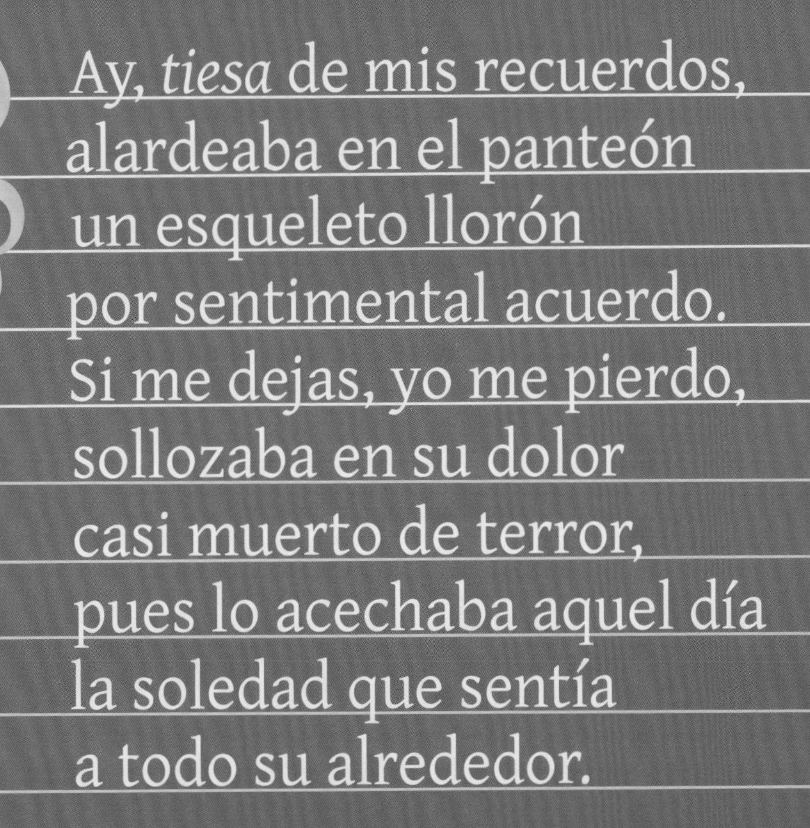

Ay, *tiesa* de mis recuerdos,
alardeaba en el panteón
un esqueleto llorón
por sentimental acuerdo.
Si me dejas, yo me pierdo,
sollozaba en su dolor
casi muerto de terror,
pues lo acechaba aquel día
la soledad que sentía
a todo su alrededor.

La pálida

Bronceada en óseo color
por tomar sol en exceso,
iba mostrando los huesos
quejándose del ardor.
No se puso bronceador
y hoy por eso la sobajan.
De *pálida* no la bajan,
por ello sin darles flanco,
cachetea con guante blanco
a todos los que la ultrajan.

La chiringa

De un ebanistero estuche,
sin retoques a la gringa,
se deja ver *la chiringa*
para que su voz se escuche.
Queriendo hallar desembuche
por su triste realidad,
pues por mayoría de edad,
desarticulada anda
de artículos sin demanda
y de última necesidad.

¿Quiénes son los muertos que viven en este libro?

Página 4:
Alfonso Soteno.
Boda en barro.
Barro modelado,
moldeado y cocido.
Metepec, Estado de México.
Colección Horacio Gavito.

Página 5:
Cráneos de barro.
Barro modelado,
moldeado y cocido.

Página 6:
Muerte florida.
Papel aglutinado y pintado,
sobre armazón de alambre.
Ciudad de México.

Páginas 8-9:
Calavera danzarina.
Esqueleto articulado de papel
con soporte de madera.
Colección Ruth D. Lechuga de Arte Popular/
Museo Franz Mayer.

Página 10:
Cráneo desdentado.
Madera tallada y pintada.
Colección Ruth D. Lechuga de Arte Popular/
Museo Franz Mayer.

Página 11:
Calaca viajera.
Madera tallada y pintada.
Colección Ruth D. Lechuga de Arte Popular/
Museo Franz Mayer.

Páginas 12-13:
Musicos calavera.
Barro modelado, moldeado y cocido.
Colección Ruth D. Lechuga de Arte Popular/
Museo Franz Mayer.

Página 14:
Mario Saulo Moreno.
Calaca violinista.
Papel aglutinado y pintado,
sobre armazón de alambre.
Tlapujahua de Rayón,
Michoacán, 2012.

Página 15 (arriba):
Calacas bailarinas.
Papel aglutinado y pintado,
sobre armazón de alambre.
Ciudad de México, 1968.
Colección Ruth D. Lechuga de Arte Popular/
Museo Franz Mayer.

Página 15 (abajo):
Mario Saulo Moreno.
Calaca guitarrista.
Papel aglutinado y pintado,
sobre armazón de alambre.
Tlapujahua de Rayón, Michoacán, 2012.

Página 16:
Mario Saulo Moreno.
Calaca voceadora.
Papel aglutinado y pintado,
sobre armazón de alambre.
Tlapujahua de Rayón, Michoacán, 2012.

Página 18:
Calavera pensativa.
Barro modelado, moldeado,
cocido y pintado.
Colección Ruth D. Lechuga de Arte Popular/
Museo Franz Mayer.

Página 19:
Calaveras de azúcar.
Toluca, Estado de México.

Página 20:
La pelona y su mordida de colores.
Papel aglutinado y pintado,
sobre armazón de alambre.
Colección Ruth D. Lechuga de Arte Popular/
Museo Franz Mayer.

Página 21:
Máscara decorativa.
Papel aglutinado y pintado.
Ciudad de México.
Colección Ruth D. Lechuga de Arte Popular/
Museo Franz Mayer.

Página 22:
Rueda de la fortuna.
Madera pintada.
Colección particular.

Página 24:
Mario Saulo Moreno.
La calaca y su tambora.
Papel aglutinado y pintado,
sobre armazón de alambre.
Tlapujahua de Rayón, Michoacán, 2012.

Página 25:
Mario Saulo Moreno.
Esqueleto A-go-go.
Papel aglutinado y pintado,
sobre armazón de alambre.
Ciudad de México, 1968.
Colección Ruth D. Lechuga de Arte Popular/
Museo Franz Mayer.

Página 26:
Calavera trompetista.
Papel aglutinado y pintado.
Ciudad de México.
Colección Ruth D. Lechuga de Arte Popular/
Museo Franz Mayer.

Página 27:
China poblana.
Barro modelado, moldeado,
cocido y pintado.

Página 28:
Muerte temblorosa.
Papel aglutinado y pintado,
sobre armazón de alambre.
Colección Ruth D. Lechuga de Arte Popular/
Museo Franz Mayer.

Página 30:
Humberto Spíndola.
Performance de La Catrina, 1994.
Vestuario en papel de china.
Colección del autor.

Página 32:
Huesitos.
Esqueleto articulado de barro
modelado, modelado y cocido.
Oaxaca.

Página 34:
Calavera candelero.
Barro modelado, moldeado,
cocido y pintado.
Colección Ruth D. Lechuga de Arte
Popular/Museo Franz Mayer.

Página 36:
Froylán Ruiz.
Para María Cruz, 1998.
Óleo sobre tela.
100 x 180 cms.

Página 38:
Calaca cantante.
Papel aglutinado y pintado,
sobre armazón de alambre.

Página 39:
Calaca pescadora.
Barro modelado, moldeado y cocido.